Blas ar y sgrifennu gorau yn y Gymraeg

Y gyfres hyd yn hyn:

Y teitlau nesaf:

Golygydd y gyfres: Tegwyn Jones

pigion 2000

T. H. Parry-Williams

'Hanner yn hanner'

Golygydd y gyfres:
Tegwyn Jones

GWASG Carreg Gwalch

Argraffiad cyntaf: Tachwedd 1999

Ⓟ   *Pigion 2000: Gwasg Carreg Gwalch*
Ⓟ   *testun: Gwasg Gomer*

*Rhif Llyfr Safonol Rhyngwladol:
0-86381-512-X*

*Cyhoeddir o dan gynllun comisiwn Cyngor Llyfrau Cymru.
Cynllun y clawr: Adran Ddylunio'r Cyngor Llyfrau.*

*Argraffwyd a chyhoeddwyd gan Wasg Carreg Gwalch,
12 Iard yr Orsaf, Llanrwst, Dyffryn Conwy.
Ffôn: 01492 642031
Ffacs: 01492 641502
e-bost: llyfrau@carreg-gwalch.co.uk
lle ar y we: www.carreg-gwalch.co.uk*

Dymunir diolch i Wasg Gomer am eu cydweithrediad wrth gynhyrchu'r gyfrol hon ac am eu caniatâd caredig i gynnwys deunydd a gyhoeddwyd yn gyntaf ganddynt hwy.

Cynnwys

Cyflwyniad

Mewn sgwrs radio yn 1955 mynnodd Saunders Lewis mai'r 'llenor pwysicaf ei ddylanwad ar feirdd a llenorion eraill' a fu'n cyhoeddi eu gwaith yn ystod y deng mlynedd ar hugain a ddilynodd y Rhyfel Byd Cyntaf, oedd T.H. Parry-Williams. Y mae ffeithiau bywgraffyddol y bardd a'r llenor hwn yn weddol gyfarwydd i'r rhan fwyaf o ddarllenwyr Cymraeg. Un o feibion ysgolfeistr Rhyd-ddu, sir Gaernarfon, a'i briod, ydoedd, ac yn Nhŷ'r Ysgol yno y ganwyd ef yn 1887. O ysgol ei dad aeth i Ysgol Ganolraddol Porthmadog, ac oddi yno i Goleg Aberystwyth lle graddiodd mewn Cymraeg a Lladin. Bu'n fyfyriwr wedyn yng Ngholeg Iesu, Rhydychen, yn Freiburg a Pharis. Yn 1920 fe'i penodwyd i Gadair y Gymraeg yn Aberystwyth, ond erbyn hynny yr oedd wedi ennill Cadair a Choron yr Eisteddfod Genedlaethol ddwywaith, ac wedi treulio blwyddyn gyfan yn efrydu gwyddoniaeth yn Aberystwyth. Yn 1925 aeth ar fordaith ddeufis ar ei ben ei hun i Dde America, a deng mlynedd yn ddiweddarach, yn 1935, aeth ar daith arall, i'r Unol Daleithiau y tro hwn. Deilliodd rhai o'i gerddi mwyaf adnabyddus o'r teithiau tramor hyn.

Ar wahân i gyfraniad sylweddol T.H. Parry-Williams i fyd ysgolheictod Cymraeg yn ystod ei yrfa, beth oedd natur y dylanwad hwnnw y soniodd Saunders Lewis amdano? Bardd a llenor a fagwyd yn y traddodiad rhamantaidd ydoedd, a phan ddechreuodd farddoni, rhamantaidd ei naws oedd ei gynnyrch yntau. Ond dewisodd gefnu ar y math hwnnw o greu, a chwilio'n hytrach am arddull a themâu newydd. Nid 'proffwyd unig yw'r bardd mwyach', meddai Saunders Lewis, 'yn byw o ecstasi i ecstasi, ond dyn normal yn siarad tafodiaith ei ardal, ac yn troi barddoniaeth yn foddion i gysidro'i fywyd ac i gysidro bywyd'. Mynegodd hyn i gyd trwy gyfrwng y soned, gan roi i honno rymuster na pherthynai iddi cyn hynny yn y Gymraeg, a'r rhigwm, mesur distadl a fabwysiadwyd ganddo i ddatgan ei weledigaeth o'r byd a'i bethau, ac o gyffredinedd bywyd dynion. Mewn rhyddiaith trodd at yr ysgrif, nad oedd iddi rhyw ddiffiniad pendant iawn cyn iddo ef ymafael ynddi, a'i throi'n gyfrwng i'w ddadansoddiadau o brofiadau a gwrthrychau, llawer ohonynt yn adlewyrchu'r hyfforddiant wyddonol a gafodd gynt. Hyderir y bydd cyhoeddi'r detholiad bychan hwn o farddoniaeth a rhyddiaith T.H. Parry-Williams yn gyfle i'w edmygwyr ailymweld â'i waith, ac yn gyfle i'r sawl a ddaw ar ei draws am y tro cyntaf, i sylweddoli ei fawredd.

Caru fy mhau

Â thwym ddwyfron y gwneuthum ddiofryd
I garu fy mhau fel gwyryf fy mywyd;
Anwylo gwylltineb tir fy mebyd,
Ei lwyn a'i afon a'i lynnau hefyd.
Ac yn nyfnder ei weryd – gwn y caf
Ei gusan olaf megis anwylyd.

O'r awdl 'Eryri' (1915)

Yr Esgyrn Hyn

(Ffansi'r funud)

1
Beth ydwyt ti a minnau, frawd,
Ond swp o esgyrn mewn gwisg o gnawd?

Gwêl d'anfarwoldeb yng ngwynder noeth
Ysgerbwd y ddafad wrth Gorlan Rhos Boeth;

A'r cnawd a'r gïau a fu iddi gynt,
Yn bydredd ar goll yn y pedwar gwynt,

Heb ddim i ddywedyd pwy oedd hi
Ond ffrâm osgeiddig nad edwyn gi.

2
Beth fyddi dithau, ferch, a myfi,
Pan gilio'r cnawd o'r hyn ydym ni?

Diffydd y nwyd pan fferro'r gwaed,
Derfydd am siom a serch a sarhaed.

Ni bydd na chyffwrdd na chanfod mwy:
Pan fadro'r nerfau, ni theimlir clwy.

Ac ni bydd breuddwyd na chyffro cân
Mewn penglog lygadrwth a'i chraciau mân.

Nid erys dim o'r hyn wyt i mi –
Dim ond dy ddannedd gwynion di.

Ni bydd ohonom ar ôl yn y byd
Ond asgwrn ac asgwrn ac asgwrn mud;

Dau bentwr bach dan chwerthinog ne',
Mewn gorffwys di-gnawd, heb na bw na be.

Nid ydym ond esgyrn. Chwardd oni ddêl
Dy ddannedd i'r golwg o'u cuddfa gêl.

Chwardd. Wedi'r chwerthin, ni bydd, cyn bo hir,
Ond d'esgyrn yn aros ar ôl yn y tir –

Asgwrn ac asgwrn, forwynig wen,
A chudyll a chigfran uwch dy ben;

Heb neb yn gofyn i'r pedwar gwynt:
'P'le mae'r storm o gnawd a fu iddi gynt?'

Celwydd

(Awr ddu)

1

Daeth Haf Bach Mihangel trwy weddill yr ŷd,
Yn llond ei groen ac yn gelwydd i gyd.

Adwaen ei driciau bob yr un, –
Ei ddynwaredwr wyf i fy hun.

Twyllwr wyf innau. Pwy sydd nad yw,
Wrth hel ei damaid a rhygnu byw?

Ac anferth o gelwydd yw'r bywyd sydd
Mewn ofn a chadwynau nos a dydd.

Weithiau – mewn breuddwyd – daw fflach o'r gwir,
Ond wedyn anwiredd a thwyllo hir.

Anturiwn weithiau ddynwared Duw,
Ond snecian yr ydym wrth geisio byw.

Cryfach yw'r gadwyn na grym y gwir,
Trech ydyw'r nos na'r goleuddydd clir.

2

'Gwae nad oes gwir! Ni bu rhyngom ein dau
Ond cusanau celwyddog a geiriau gau.

'Anwiredd gloyw oedd y llygaid llyn,
A gwên dy ddannedd yn gelwydd gwyn.

'Ysmalio dichellgar a thwyllo ffri
Oedd chwerthin a chyffwrdd ein caru ni.'

Rhwng pob rhyw ddau a fu 'rioed yn y byd
Ni bu ond anwiredd, – dyna i gyd.

3

Tristach na holl ddinodedd dyn
Yw chwerthin y cnawd am ei ben ei hun.

Sobrach na syn sefydlogrwydd y sêr
Yw anwadalwch ei fywyd blêr.

Chwerthinllyd gweld ffoi o'i falchderau i gyd
Fel haid o wylain rhag diwedd y byd;

Ac yntau'n aros ar ddiwedd ei rawd
I edrych yn ôl dros adfeilion cnawd,

A gweld nad oedd yn y fynwes ddofn
Ond serch ac angau a phechod ac ofn;

Ac angau'n traflyncu'r lleill yn syth,
Gan wneuthur y gwegi'n wacach fyth.

4
Gwae ni ein dodi ar dipyn byd
Ynghrog mewn ehangder sy'n gam i gyd,

A'n gosod i gerdded ar lwybrau nad yw
Yn bosib eu cerdded – a cheisio byw;

A'n gadael i hercian i gam o gam
Rhwng pechod ac angau heb wybod paham;

Ac ofn wrth ein sodlau'n syfrdanu serch
Wrth gyfrif celwyddau mab a merch.

Pa ryfedd, yn wir, fod y cnawd di-lun
Yn cael y fath sbort am ei ben ei hun?

Y Pryf Genwair

Gwn yn burion nad wyf deilwng i sôn amdano –
un o bryfed mân y llawr, ond y mae rhyw swyn
peryglus i mi yn y creadur bach mud, diasgwrn
hwn. Adwaenwn ef yn fachgen: adwaen ef eto, ac
yn well o gryn dipyn erbyn hyn, er pan gefais y
fraint annisgwyl ryw bedair blynedd yn ôl o'i agor
a gweld ei fod wedi ei wisgo â gogoniant a
harddwch o'r tu mewn yn ogystal ag o'r tu allan.
Yr oedd ei adnabod a deall ei gyfansoddiad,
gwybod ei dras a hanes ei fywyd yn anfeidrol
bwysig i mi y pryd hwnnw, ac y mae iddo'i le yn fy
mywyd bellach. Erys un olwg ramantus a gefais
arno yn hir, mi wn, yn fy nghof. Piniaswn ef (wedi
ei ladd yn ddi-boen) yn ei hyd ar wastad ei gefn ar
ddarn o bren a ddelid gan blwm ar waelod dysgl
oedd yn llawn o ddwfr oer, glân. Trychaswn ei
blisgyn o gnawd o ben bwy gilydd â siswrn, a
phinio ymylon y toriad wedyn at allan, gan ei agor
a dadlennu un o ryfeddodau mwyaf gogoneddus y
cread. Wedi pinio'r corff hirfain, pinc fel hyn yn
daclus dan ddwfr glân, a dadorchuddio'n fanwl a
thringar y peirianwaith arswydus o gywrain oedd
o'r tu mewn, ni ellid cael pictiwr i ragori arno na
thestun gwell i delyneg yn y byd. A siarad yn
ystrydebol, gellid dywedyd ei fod yn delyneg
berffaith, oer ynddo'i hun, heb eisiau geiriau. Ni
ellir meddwl am ddim glanach na thwtiach na

17

chynilach. Clywais rywdro am ddyn a ofynnodd i gyfaill wedi gwrando ar ŵr bach eiddil yn siarad yn rymus, 'Pwy a fuasai'n meddwl bod gan gyw iâr berfedd?' Ie, a phwy a fuasai'n meddwl bod gan bryf genwair beirianwaith mor odidog oddi mewn iddo? Pechais ganwaith wrth wthio bach dur drwy ddyryswaith byw, corddeddog y pryf diniwed hwn. Ond na'm beier. Onid oedd ei enw yn rhyw gyfiawnhad, canys credwn mai i fod yn bryf genwair y creasid ef? Un o'r camau mwyaf â'r byd anifeilaidd oedd bedyddio'r truan hwn yn bryf genwair. Arswydaf feddwl am ddial y pryf ar y pechadur hwnnw. (Nid gŵr o Fôn ydoedd, oherwydd y mae pobl Môn yn garedicach: 'llyngyr daear,' meddir, y gelwid pryfed genwair yno). Y mae cyfaill i mi'n magu'n ofalus mewn isgell drychfilod sy'n anweledig i lygad noeth, ac yn eu lladd wedyn yn ddiswta wrth y miloedd ar filoedd, a bydd yn dywedyd wrthyf yn aml, dan wenu'n hanner ofnus hanner gwatwarus, y daw dydd eu dial hwythau.

Ond nid yr agwedd anatomyddol arno sydd wedi denu fy mryd i fwyaf; nid ei galonnau lawer, ei waed oer, ei system nerfol, a phethau anhraethadwy eraill sy'n perthyn iddo, ond ei ddull o fyw, ei arferion, – ef ei hun ar wahân i'r rhannau sydd iddo.

Un o'r pethau gorau a glywais erioed oedd darlith gan ferch ar y creadur hwn. Eithaf gwir. Nid anghofiaf hi yrhawg. Gwnaeth honno'r pryf genwair yn rhywbeth (neu'n rhywun) pwysig yn y byd. Gwyddai am ei fyw a'i fod i drwch y blewyn, a gwisgai ei gwybodaeth â harddwch gwyddonol oedd er hynny'n ddynol. Yr oedd rhywbeth hanner personol yn ei hymdriniaeth.

Meudwy pridd y ddaear ydyw'r pryf genwair, ac ni ellir peidio ag eiddigeddu wrtho. Yn y ddaear, nid ar y ddaear, y mae ei gartref. Llusg ei fwyd o ddail i'w dwnelau tanddaearol. Ni ddaw allan o'r pridd ond ar adegau arbennig, a hynny'n anfynych, megis pan fo glaw wedi gwneuthur y pridd yn amhosibl anadlu ynddo, trwy lenwi'r mân-dyllau. Gwelir weithiau ei lwybrau ar y ffordd wedi glaw fel ôl rhywun ar gyfeiliorn wedi gado'i gynefin. Yswil iawn ydyw: nid yn aml y daw'r cwbl ohono allan. Glŷn wrth y pridd cyhyd ag y gallo. Ie, creadur unig ydyw, a di-asgwrn-cefn (ond pa waeth? nid yw'n anystwyth nac ystyfnig), yn cilio o olwg y byd ac yn gallu byw a bod a breuddwydio dan groen wyneb y tir. Ond druan ag efyntau! Y mae iddo'i elynion arnodd ac oddi tanodd, – dynion ac adar a thyrchod daear. Twyllir ef allan gan yr adar (megis y twyllir ef allan gan enweiriwr trwy guro pren i'r ddaear a'i dapio a gwneuthur i'r creadur feddwl bod gelyn gerllaw yn y pridd), a helir ef yn ddiarbed gan y twrch – sydd fwy nag ef. Er byw yn nhywyllwch y pridd, er peidio ag aflonyddu ar ei gydgreaduriaid, er llechu'n ddistaw heb dresmasu na gormesu, eto ni chaiff lonydd. I bawb ond ef ei hun nid yw ond bwyd neu abwydyn. Nid nefoedd i gyd mo'r ddaear. Nid yw'r pridd wedi'r cwbl mor llonydd a heddychlon ag y tybiwn gynt. Wrth eiddigeddu wrth y pryf, rhaid tosturio wrtho hefyd.

Y mae tair golwg arno yn fyw ar f'ymennydd. Yr olwg arno'n gorwedd yn dwt yn ei rigol dan garreg pan heliwn innau ef gynt fel pryf genwair; yr olwg arno wedyn wedi ei ladd ond yn dlws dan y dwfr oer yn y ddysgl; a'r olwg arno yn grimpyn sychlyd, marw, ar y ffordd fawr yng ngwres haul haf, fel petai wedi magu rhyw fath ar asgwrn cefn wrth drengi yn y goleuni. Bid sicr, y mae'n rhaid, wrth eiddigeddu wrtho, dosturio wrtho hefyd.

Ar y Dec

Aeth lleian heibio, a'i gwregys a droes,
A gwelais ei Christ yn hongian ar groes –

Crist metel wrth ei phaderau hi
Yn hongian, wrth ddolen, ar Galfari;

A Chrëwr y môr, fel ninnau bob un,
Yn ysgwyd ar ymchwydd Ei gefnfor Ei Hun.

Yr Atlantig. Bore Sul, Gorffennaf 1925

Yng Ngwlff Mecsico

Mae'r llanc o Arfon ar ddyrys dro
Ym mwrllwch Geneufor Mecsico.

Gwêl trwy gryndod tesog y chwa
Ynysoedd palmwyddog Fflorida.

Yfory gollyngir gyda'r wawr
Yr angor pygddu i'r glesni mawr.

Saif yntau'n hurt, ymhell o'i Ryd-ddu,
Ym mhorthladd Hafana, yng nghanol y llu,

Â'i lygaid ar lesni trofannol goed,
Ac India'r Gorllewin dan ei droed. –

Ni ddysgodd y truan eto mai hud
Enwau a phellter yw 'gweld y byd'.

Y Pasiffig

Ceisiaist fy nychryn, ganol ha',
Â'th fellt didaranau ger Panama.

Pistyllodd cawod, fel môr i fôr,
Ger glannau trofannol Ecwadôr.

Lledaist dy holl feithderau di-dw'
Yn arswyd rhyngof a thir Perŵ;

A theflaist y seren a fu'n gyfaill cyd
– Hen Seren y Gogledd – dros ganllaw'r byd.

Nid oedd hyn ond dy giprys ysmala di
Â llanc anghyfarwydd â thriciau'r lli;

Ond gwn i mi ddysgu nad oes brad
Yn ystyr d'enw, yn ysgol fy nhad.

Y Ferch ar y Cei yn Rio

Plyciai'r tygiau'r llong tua'r dwfn,
A'r fflagiau i gyd yn chwyrlïo;
O'r cannoedd oedd yno, ni sylwn ar neb
Ond ar ferch ar y cei yn Rio.

Ffarweliai â phawb – nid adwaenai neb –
Mewn cymysgiaith rhwng chwerthin a chrio;
Eisteddai – cyfodai: trosi a throi
A wnâi'r ferch ar y cei yn Rio.

Anwesai lygoden ffreinig wen
Ar ei hysgwydd, a honno'n sbïo
I bobman ar unwaith, fel llygaid di-saf
Y ferch ar y cei yn Rio.

Efallai ei bod wedi bod ryw dro
I rywun yn Lili neu Lio;
Erbyn hyn nid oedd neb – nid ydoedd ond pawb
I'r ferch ar y cei yn Rio.

Ac eto ynghanol rhai milain eu moes
Ni welais neb yn ei difrïo,
Nac yn gwawdio gwacter ei ffarwél hi –
Y ferch ar y cei yn Rio.

Pwy a edrydd ynfydrwydd ei chanu'n iach,
Neu'r ofn a ddaeth im wrth bitïo
Penwendid y ferch â'r llygoden wen –
Y ferch ar y cei yn Rio?

Rio de Janeiro. Awst, 1925

Y Diwedd

(Angladd ar y môr)

Aeth henwr heno rywbryd tua saith
I ddiwedd ei siwrnai cyn pen y daith.

Gwasanaeth, gweddi, sblais ar y dŵr,
A phlanciau gweigion lle'r oedd yr hen ŵr.

Daeth fflach o oleudy Ushant ar y dde,
A Seren yr Hwyr i orllewin y ne,

A rhyngddynt fe aeth hen ŵr at ei Iôr
Mewn sachlen wrth haearn trwy waelod y môr.

Y Sianel. Medi, 1925

Crist yr Andes

Y mae rhai pethau y bu dyn bron â pheidio â'u gweld, yn aros weithiau yn fwy byw yn y cof na'r gweledigaethau y bu'n hir syllu arnynt, oherwydd yr ymdrech a wneir i geisio dal yr olwg arnynt, a threio'i chadw'n fyw. Y mae gennyf ddyddlyfr o'm teithiau wedi eu hysgrifennu'n llawn a manwl; ond er bod darllen y rheini yn dwyn pethau ar gof, nid ydynt yn gallu ail-greu'r olwg a gafwyd ar ambell beth. Fe erys y golygon hynny, neu ddiflannu, dyddlyfr neu beidio. Ond y mae ambell olwg, oherwydd cyffro ynglŷn â hi, sy'n aros yn y pen yn fwy o gof am edrych a gweld nag o'r gweld ei hun yn arhosol fyw yn y cof. Peth felly, mi goeliaf, i mi yw'r olwg a gefais ar Grist yr Andes; gweld, a oedd bron yn peidio â gweld ydoedd. Ond yr wyf yn cymysgu.

Er pan leniais yn Valparaiso (Glyn Paradwys), y meddwl ymlaen am y daith gyda'r trên dros fynyddoedd yr Andes oedd yn mynd â'm bryd. Ac wedi rhyw goegfwynhau'r dinasoedd heirdd Valparaiso a Santiago de Chile (y brifddinas), mi gyrhaeddais le bach o'r enw Santa Rosa de los Andes ar odre'r mynyddoedd ryw hwyr, ar ôl llawer o fân helbulon a thrafferthion. Pen y 'lein bach' sy'n cario'r trên dros y mynyddoedd, ryw unwaith yr wythnos, oedd yn y fan honno. Aros y noswaith yno, a mynd i'r trên ben bore, a chael lle tywysogaidd foethus i fwynhau popeth. Ac yr oedd y golygfeydd gwych ac arswydlon oedd i'w gweld o boptu i'r lein, wrth ddringo i awyr deneuach deneuach i uchder miloedd ar filoedd o droedfeddi (hyd dros ddeng mil, yn wir), yn anhraethadwy. Ar y top, wedi mynd trwy'r twnnel, y mae'r ffin rhwng y ddwywlad, Chile ac Argentina. Yno, yn rhywle ym mwlch Cumbre (ar ochr Argentina, mi gredaf) y saif y cerflun o Grist, a chroes yn ei law aswy a'i fraich ddehau i fyny, yn sefyll ar hanner pelen gron ac ar glamp o bedestal. Fe godwyd y Christus efydd hwn yno yn yr uchelderau rai blynyddoedd yn ôl i goffáu setlo'r ffrwgwd a'r anghydfod ynglŷn â'r ffin rhwng y ddwy wlad, ac i fod yn simbol am byth o gyfeillgarwch a chymod rhyngddynt. Tywysog Tangnefedd. Gwiw o beth . . . Yr oeddwn yn methu gwybod sut i gael golwg ar y cerflun, gan nad oedd yn agos iawn i'r lein a chan na wyddwn i ba gyfeiriad i edrych amdano. Beth bynnag, mi glywais gyd-deithiwr yn siarad amdano wrth ei gyfaill (yn Sbaeneg, y mae'n wir), ac ar foment arbennig mi welais y gŵr yn pwyntio tua'r pellter. Ar y cyfle mi sylldremiais innau yn eiddgar-lygadog i'r cyfeiriad; a rhyw gip sydyn 'gyfriniol' felly a gefais i, os cefais hefyd, ar Grist yr Andes. Wedi hynny, mynd ar i lawr, lawr, lawr nes dyfod i dref Mendoza, ar ben y ffordd sydd dros y pampas i ddinas Buenos Aires (neu Biwnos Eirus, fel yr yngenid ef gan hen forwyr Porthmadog gynt) – a chyrraedd yno tua'r un adeg â Thywysog Cymru.

Misoedd o daith dros fôr a thir o'i dechrau i'w diwedd, ond ychydig eiliadau o olwg ar y cerflun byd-adnabyddus hwn. Yr oeddwn yn pitïo na byddai modd aros ychydig yn un o stesionau'r ucheldir, Puente del Inca, i allu mynd am bererindod at y Crist hwn. Felly, gan na ellid gwneud hynny, cof am weld yr olwg honno sydd gennyf yn hytrach na'r olwg ei hun mewn atgof. Ond yr oeddwn yn falch yr adeg honno i mi, yn fflachiog felly, weld y peth gwyrthiol hwnnw sydd wedi cadw'r heddwch rhwng dwy wlad am y ffin â'i gilydd. Delw o Grist ydoedd – dyma le i bregethu; a diau gennyf fod llawer o bregethu wedi bod ar y peth anghyffredin hwn.

Peth od, er hynny, yw sylweddoli bod gennyf yn f'ymennydd Grist nad yw ond cof am sydyn weld cip hanner-dychmygol o gerflun ohono mewn cyfandir pell gorllewinol-ddeheuol, ar un o fylchau uchaf ei fynyddoedd, pan oedd gennyf, wrth fod ar daith bell felly, enaid gwahanol, fel petai, yn fy nghorff fy hun.

Y mae'n odiach fyth ymsynio ei fod ef, y Galilead gwelw gynt, yno mor bell o'i hen gartref yn solet syllu dros ehangder o rew a chreigiau ac eira ger llinell-ffin anweledig ond anfeidrol ac anhygoel bwysig i'r ddwy bobl fach 'ysbrydol' hynny, a'r groes yn ei law aswy a'i ddeheulaw tua'r nefoedd, yn gwneud ei waith cymodlawn yn ei anialwch newydd, ond heb fod yn gweld fawr neb nac yn dweud dim. Gwir y llefarodd yr ymherodr Julian y Gwrthgiliwr, er dipyn yn wawdlyd, 'Vicisti, Galilæe' ('Y Galilead, ti a orchfygaist').

Wedi newid i'r trên arall gyda'r nos ym Mendoza a chael hyd i'm bwnc-cysgu, mi hamddenais yn y cerbyd-bwyd i ddisgwyl amser mynd i 'gadw'. Pan flinais ladd amser, mi euthum yn ôl at yr ystafell welyau; ac yno ar y bwnc gwaelod yr oedd horwth o ddyn du yn gorwedd yn braf. Mi ymdeimlais yn llym â'r ffin lliw a gwaed a oedd rhyngom, a lled-ofnais hynny. Petrusais yn hir cyn mentro i mewn ato, ac mi gofiais am y darn emyn sy'n gwahodd y 'Negro du ei liw' at Grist. Anturiais i'r ystafell a chysgu mewn heddwch Cristionogol tan y bore. 'Vicisti, Galilæe.'

Dau hanner

Tybed fy mod i, O Fi fy Hun,
Yn myned yn iau wrth fyned yn hŷn,

A gwanwyn a gwenau a gwibiog hynt
Yn gwahodd fel y gwahoddent gynt.

Na ato Duw! Canys eir trwy'r byd
O'r crud i'r bedd, nid o'r bedd i'r crud.

Ac eto, gwych fyddai geni dyn
Yn hen, a'i iengeiddio wrth fynd yn hŷn;

A'i gladdu'n faban ar ben ei daith,
Â llonder sych yn lle tristwch llaith.

* * *

Yn wir, yn wir meddaf i chwi,
Fe aned un hanner o'r hyn wyf i

Yn hen, a'r hanner hwnnw y sydd
Yn mynd yn iau ac yn iau bob dydd.

Rhyw hanner ieuenctid a gefais gynt,
A hanner henaint fydd diwedd fy hynt –

Hanner yn hanner, heb ddim yn iawn,
Heb ddim yn ei grynswth na dim yn llawn.

Ac mae'r hanner hen, wrth fyned yn iau,
Heddiw'n ymhoywi a llawenhau;

A gwanwyn a gwenau a gwibiog hynt
Yn gwahodd fel y gwahoddent gynt.

Rhieni

Mae'r dafnau a ddisgynnodd i fedd agored gynt,
Wedi hen atgyfodi a chwalu ar y gwynt,
A llunio llawer enfys ar ôl helbulus hynt.

Mae'r ddeulwch sy'n y ddaear dan bwysau mynor du,
Yn ymgymysgu'n ddistaw, a'r Hen Ysgarwr hy
Yn methu rhwystro ailuno dau gariad dydd a fu.

Mae hiraeth yn heneiddio, ac angau'n mynd yn iau:
Mae'r cartre'n llawn o eco, a'r bedd yn trugarhau,
A'r pedair milltir ffyddlon yn llinyn rhwng y ddau.

Ofn

Pan ddringwyf eto'r allt yn ysgafn-droed
I fyny tua'r pentref sydd â'r tŷ
Y'm ganed ynddo'n disgwyl fel erioed
Am sŵn fy llais a sang fy nhroediad hy,
Bydd y llawenydd gynt yn fyw yn llam
Y galon wirion eto, a bydd lli'r
Hen hiraeth hyfryd na wnaeth siom na cham
Ei rewi, 'n goglais ei meddalwch hi.
Ond wrth ddynesu tua'r fan, mi wn
Yn burion cyn ei ddyfod ef y daw
Rhyw drymder difwynhad o rywle'n bwn
Anesmwyth arnaf, a rhagargoel braw
I'm mynwes – arswyd gweled ôl tristâd
Ar wedd fy mam neu'n llygad llym fy nhad.

Argyhoeddiad

Safwn, fel duw, ar gornel lle y try'r
Hen Lwybyr Coch wrth gopa'r Wyddfa fawr
I'r chwith yn greicffordd wastad, ac yn hy,
Fel a reolo ffawd, yn syth i lawr
Y dibyn dryslyd powliais garreg fras,
A gwelwn hi'n carlamu'n chwim, a chriw
O fân garegos yn ymryson ras
Â hi, pan gnociai hwynt i lawr y rhiw.
Gwyddwn o'r gorau mai myfi fy hun
– Y duw, na b'ond ei grybwyll, – a roes waith
I'r garreg wirion, ac a ffurfiodd lun
Pob tro ar ôl ei chychwyn ar ei thaith;
Ond sylweddolais, pan ddiflannodd hi,
Nad oeddwn dduw – mai'r garreg oeddwn i.

Cydbwysedd

Gwn na wrthododd 'mam gardod erioed
I'r haid fegerllyd a fu'n crwydro'n hir,
Yn wŷr a gwragedd o bob llun ac oed,
O wyrcws ac i wyrcws yn y sir.
'Duw a'ch bendithio,' meddent. Oni chaent
Bob amser ganddi'r mwydion gyda'r crwst,
A chig a cheiniog? Yna, fel petaent
Fonheddig, moesymgryment . . . Yn fy ffrwst,
Wrth gornel un o'r strydoedd yn y dref,
Gwrthodais gardod i ryw lafn o ddyn
A fegiai'n feiddgar â chwynfanllyd lef,
A mynd ymlaen dan regi wrtho'i hun, –
A 'mam, 'r wy'n siŵr, yr un awr yn rhoi clamp
O gardod dwbwl gartref i hen dramp.

Tylluan

Gartref yn Arfon, lle nid oes ond sŵn
Y gwynt a'r afon a mân donnau'r llyn,
Ac weithiau gyfarth sydyn, cryg y cŵn
Busneslyd, pan êl rhywun dros y bryn;
Gartref yn Arfon, pam y dylwn i
Falio pa beth a wnêl na theyrn na chranc,
Nac ofni gwg gormeswyr? Ni ddaeth cri
Dyhirod byd erioed dros ben y banc . . .
Yn eon a di-feind, a'r nos yn cau,
Troediwn y briffordd ar fy mhen fy hun,
Gan gyfri'r polion pyglyd bob yn ddau
A'r gwifrau swnllyd bob yn un ac un;
Rhwng prop a pholyn, ar ryw beipen gron,
Gwelais dylluan, – a daeth braw i'm bron.

Ailafael

Wrth fy niddanu gan gwmpeini'r lleng
Llyfrau cysurlon sydd o'm cwmpas i
Yn gwarchod dros fy myw, yn rheng ar reng,
Gan hawlio serch fy mron, ni chlywaf gri
Mynydd fy maboed na rheiolti'r gwynt
O giliau'r henfro lle bu sang fy nhraed,
Oherwydd cwsg yw'r cariad a fu gynt
Yn gyffro gwyllt cynddeiriog yn fy ngwaed.
Ond cyn bo hir af eto ar ryw sgawt
Tuag Eryri'n hy, ac fel pob tro
Mi wn na wêl fy llygaid unrhyw ffawt
Yng ngwedd yr hen fynyddoedd. Af o'm co'
Gan hagrwch serchog y llechweddau syth,
Gan gariad na ddiffoddir mono byth.

Paradwys

Ni roddes Duw i'r doeth ddim namyn gwae
O wybod dyrys ffyrdd Ei arfaeth Ef
A dysgu canfod bywyd fel y mae –
Y gweld sy'n gwneuthur uffern o bob nef;
Ac wrth hau gwreichion hyd ei ddellni du,
A thaflu golau creulon ar ei rawd,
A dangos rhin gogoniant lliwiau lu
A'r hud sydd yng nghelfyddyd bys a bawd,
Fe ladratawyd defnydd pob mwynhad
Sy'n gwneuthur bod mewn byd i ddyn yn fyw,
A throi pob dylni drud yn wybod rhad
Trwy afradlonedd Hollgyfoethog Dduw.
Ymffrostiaf bellach yn f'ymennydd pŵl, –
Nid oes paradwys fel paradwys ffŵl.

Y Rheswm

Nid am fod brigyn briw ar goeden ir
Yn gwyro tua'r llawr yn llipryn claf,
A'i dipyn dail ar wasgar hyd y tir
Yn efelychu hydref yn yr haf;
Nid am fod haen o niwl ar Ben-y-cefn
Yn esgus bod yn eira cyn ei bryd,
A'i arian luwch ar hyd y geufron lefn
Fel petai'r gaeaf eisoes dros y byd;
Nid am in weld fel hyn, yn nyddiau'r cŵn,
Ysmaldod cainc a niwl a'u hofer gais
I rusio'r haf i ffwrdd, y clywaist sŵn
Rhyw chwithdod oer annhymig yn fy llais,
Ond am fod ynof fis Gorffennaf ffôl
Yn ciprys gydag Ebrill na ddaw'n ôl.

Tŷ'r Ysgol

Mae'r cyrn yn mygu er pob awel groes,
A rhywun yno weithiau'n sgubo'r llawr
Ac agor y ffenestri, er nad oes
Neb yno'n byw ar ôl y chwalfa fawr;
Dim ond am fis o wyliau, mwy neu lai,
Yn Awst, er mwyn cael seibiant bach o'r dre
A throi o gwmpas dipyn, nes bod rhai
Yn synnu'n gweld yn symud hyd y lle;
A phawb yn holi beth sy'n peri o hyd
I ni, sydd wedi colli tad a mam,
Gadw'r hen le, a ninnau hyd y byd, –
Ond felly y mae-hi, ac ni wn paham,
Onid rhag ofn i'r ddau sydd yn y gro
Synhwyro rywsut fod y drws ynghlo.

Congrinero

Y mae'r ymadrodd 'bardd buddugol' wedi dod yn gyffredin iawn erbyn hyn, a bron wedi datblygu'n derm ar frid arbennig o ddynion. Ac y mae yng Nghymru gryn nifer o'r brid hwn; ond nid oes neb eto, hyd y gwn i, wedi awgrymu cael cyfarfod aduno. Canys dyna'r ffasiwn yn awr, yn enwedig yn ystod wythnos yr Eisteddfod. Fe geir cyrddau aduno o gyn-ysgrifenyddion, cyn-fyfyrwyr a llawer 'cyn-' arall.

Pe cynhelid cyfarfod aduno o'r 'cynfeirdd' buddugol, fe geid, ond odid, oedfa gynhyrfus wrth drafod pynciau barddonol llosg gan aelodau o'r gwahanol 'ysgolion' – pynciau megis y canu caeth, yr hanner caeth, y caeth rhydd, y rhydd caeth, y penrhydd caeth, a'r penrhydd rhydd, a'r amrywiol 'rithmau', bid sicr, heb sôn am destunau fel 'Swyddogaeth y Bardd', 'Llên a Moes', 'Y Bardd a Chymdeithas', 'Celfyddyd a Bywyd', 'Safonau Beirniadaeth', a materion aruthrol cyffelyb. Ond, o ran hynny, efallai mai am *big-ends* a *gudgeon-pins* a *gear-ratios* y byddai'r sgwrs. A chyda llaw, oni fyddai cwrdd aduno o'r ail-oreuon yn un anghyffredin o gynhesol?

Ond i ddod yn ôl at y cyn-feirdd buddugol. Fe fyddai'n ogleisiol iawn cael profiadau'r beirdd hyn yn y cwrdd, yn enwedig eu profiadau tuag adeg eu 'buddugoliaeth', ac fe fyddai'n agoriad-llygad hefyd, mi wn. Fe geid amrywiaeth mawr yn ddiamau, oherwydd nid yr un ymateb sydd yn enaid pob dyn i'r math hwn o oruchafiaeth. Yr wyf yn bur sicr hefyd y byddai'r wedd a'r olwg arnynt yn amrywiol odiaeth.

Rhyw griw cymysgryw ydynt at ei gilydd – hen ac ifanc, gwyllt a gwâr, swil a phowld, 'gorseddogion' a llwyrymwrthodwyr (fel petai). Set ydynt y byddai cael eu llun yn dwr gyda'i gilydd yn amheuthun dros ben. Fe fyddai'n llawn mor ddeniadol â'r hen luniau gynt o 'Hen Bregethwyr Cymru', 'Enwogion y Pulpud', neu'r 'Cenhadon Hedd'.

Nid hawdd fyddai cael teitl cymwys i'r darlun. Wrth geisio dychmygu am un teilwng ac addas, mi gofiais am air sydd, neu a oedd gynt, ar lafar yn Sir Gaernarfon. Benthyg amlwg o'r Saesneg *conquering hero* ydyw. Nid yw ei ystyr yn awr yr un peth, a siarad yn fanwl hollol, â'r ymadrodd Saesneg gwreiddiol, ond y mae 'congrinero' (canys dyna'r gair) yn taro'n weddol deg y teip a ddisgrifir yma. Gwych fyddai cael llun rhyw drigain neu bedwar ugain o'r beirdd buddugol hyn, gyda'r teitl gorfoleddus 'Congrineros' oddi tano.

Pe ceid aduniad a phawb yn dweud ei brofiad, fe fyddai rhai o'r beirdd yn sicr o sôn yn hwyr neu hwyrach am y gwahaniaeth dybryd sydd rhwng pethau fel yr oeddent a phethau fel y maent – dull o draethu sy'n gyffredin ac yn gynefin ym mhob cylch bron, a dull rhwydd, a diflas hefyd yn aml, o gael rhywbeth i'w ddweud. Efallai y gelwid arnaf i cyn diwedd y cwrdd i ddweud gair bach o brofiad personol, ac mi godwn innau, ond yn dra hwyrfrydig, i sôn am yr hyn a ddigwyddodd dros ddeugain mlynedd yn ôl, pan oeddwn yn llanc gwibiog ac anturus. A rhywbeth fel hyn fyddai fy stori fach i wrth yr adunedigion:

Yr oeddwn yn aros ar y Cyfandir ar y pryd, ac yno mi luniais awdl a phryddest ar gyfer Eisteddfod Wrecsam, 1912. Haerllug o beth, efallai, ond mi fentrais eu 'hanfon i mewn'. Pan agosaodd adeg yr Eisteddfod, mi euthum ar feic i ffarm perthynas i mi ar ffiniau Dyffryn Clwyd, ac ar fore'r coroni mi deithiais ar y ddwy olwyn drwy Rhuthun a Bwlch Gwyn ac i Wrecsam. Mi gefais le i gadw'r beic mewn stabl yn perthyn i dafarn yn nhop y dref ac wedyn mi lithrais yn ddirgel i'r babell ac eistedd yn y pen-draw yng nghanol yr isel-radd a'r pŵr-dabs. Aros am oriau diddiwedd yno, gan fwyta tamaid o fwyd-poced yn awr ac yn y man.

Dyma hi'n amser coroni o'r diwedd, ac un o'r beirniaid ar y llwyfan yn y pellteroedd yn traethu'n hir a difeicroffon. Hyd y gallwn glywed, yr oedd fy ffugenw i wedi ei grybwyll ymhell cyn diwedd y feirniadaeth. Felly mi ymbaratois i ddianc o'r babell a mynd am y 'merlyn' i'r stabl a gyrru'n ôl cyn gynted ag y gallwn am Ddyffryn Clwyd. Yr oeddwn eisoes wedi sefyll ar fy nhraed, ond yn fy nghwman, yn disgwyl gweld a chlywed pwy oedd y bardd buddugol; nid oedd neb yn codi i ateb i'r ffugenw. Dyma alw croch wedyn, gan seinio'r ffugenw'n groywach nes bod y lle'n diasbedain. Ac yn sicr i chwi fy ffugenw i ydoedd, ac yr oedd yn rhaid i minnau gredu fy nghlustiau. Ni ddisgwyliai neb weld y 'bardd' yn y parthau pell hynny, ac yn siŵr nid oeddwn i'n ŵr cydnerth. Felly, bu chwilio a llygadu mawr cyn dod o hyd i mi.

Wedi i'm cymdogion cyffrous orfod coelio mai myfi ydoedd, fe fu'n rhaid imi neidio dros y bar i blith y seddau drutach a chael f'arwain oddi yno wedyn trwy fysg yr urddasolion i'r llwyfan. Yr oedd y peth yn sioc i bawb yn ogystal ag i mi fy hun. Fe ddaeth ysgytiad mwy o lawer drannoeth, ddydd Iau, diwrnod y cadeirio. Ond yn y pellafoedd hynny ar ddydd coroni, yn clustymwrando ac yn lled-ymguddio ar fy mhen fy hun ymysg y llu gwerinos, y daeth yr ias fywiocaf i mi. Yr adeg honno ni wyddai'r bardd buddugol ddim ymlaen-llaw. Fe fyddai llawer o ddyfalu, fel y mae heddiw, a llawer o geisio 'cael achlust' o rywle.

Pan ddaeth yr wythnos honno yr wyf yn sôn amdani i ben, a minnau wedi trefnu i anfon y goron a'r gadair adref rywsut, mi glymais fy mhecyn y tu ôl i'r hen feic a ffarwelio â theulu'r ffarm ar ffiniau Dyffryn Clwyd. Ac meddai fy hen ewythr wrth i mi gychwyn, 'Wel, 'machgen i, Gras sy arnat ti eisiau 'rŵan, Gras'. Gras rhag i'm pen chwyddo a oedd ym meddwl yr hen begor, ond nid oedd angen iddo ofni. Yr oedd digwyddiadau'r wythnos wedi fy sobri hyd dristwch. Ac wrth i mi badlo ymlaen drwy Gerrigydrudion am Fetws-y-coed a Beddgelert ac i fyny'r rhiw am Ryd-ddu y nos Sadwrn diweddglo hwnnw, yr oedd fy nghalon yn athrist a'm hysbryd yn ddigon anfuddugoliaethus. Adwaith, medd rhywun. Na, nid yn hollol. Ond dyna fe. Nid oes angen mynd i athronyddu ynghylch y peth. Fel yna, beth bynnag, yu bu hi ar lencyn yn y flwyddyn 1912.

Oherwydd gohirio Eisteddfod Bangor o'r flwyddyn 1914 hyd 1915, fe fu blwyddyn dros-ben o hir ddisgwyl y tro hwnnw. Yn rhyfedd iawn, ar yr un ffarm yr oeddwn i yr adeg honno hefyd. Fe ddigwyddodd yr un peth eilwaith; ond yr oedd rhai o'r teulu a llawer o gydnabod yn yr Eisteddfod honno. Ac ni chefais i fawr flas ar fod yn 'fardd buddugol' yno rywfodd. Yr oedd un o feirniaid y Goron wedi ei darfu gan y bryddest, ac un o feirniaid y Gadair wedi bod yn grafog ar y llwyfan; ond nid hynny – yn unig, beth bynnag – a oedd wedi pylu'r gogoniant.

Ond allanolion amgylchiadol i fardd buddugol ydyw'r pethau hyn oll. Y stori fawr yw stori'r cyfansoddi, yn enwedig cyfansoddi awdl. A chofier nad awdl fer a ddisgwylid yr adeg honno ond un yn cynnwys cannoedd ar gannoedd o linellau. Mi fyddaf i'n edmygu pob un a all gyfansoddi awdl o unrhyw fath. Camp go fawr, yn sicr, yw llunio awdl dda; a'r hyn sy'n syn o beth yw fod cymaint yng Nghymru yn gallu gwneud hynny. Y mae'n gofyn disgyblaeth eithriadol o lem, fel y gwyddys, heb sôn am ddim gofynion eraill.

Rhywbeth bach fel yna y buaswn i'n ei ddweud yn y cwrdd, petai gofyn am brofiad.

Gydag ambell eithriad fe fydd dau fardd buddugol, un coronog ac un cadeiriol, yn ymddangos bob blwyddyn, gan ymdorheulo yn y gogoniant cyhoeddus. Dyna'r ddau berson sy'n mynd â'r sylw mwyaf am y tro. Fe fydd dynion yn cyfeirio atynt weithiau fel 'prifeirdd', ond nid wyf yn sicr pa bryd y dechreuwyd gwneud hynny.

Fe â'r bardd buddugol yn ôl at ei orchwyl beunyddiol, ac o dipyn i beth y mae'r disgleirdeb yn cilio oddi arno; ond os bydd ei waith wedi ennyn diddordeb drwy fod yn eithriadol mewn unrhyw fodd – yn feiddgar, dyweder, neu'n od, neu'n chwyldroadol neu'n orchestol – yna fe fydd stŵr am ryw hyd yn y papurau.

Y mae'n iachus ac yn weddus ein bod ni'n dal i roddi clod a pharch i fardd sy'n fuddugol yn yr Eisteddfod, nid yn unig am ei fod yn goncwerwr ond am ei fod, wrth ymhél â'i gelfyddyd, wedi llwyddo i greu rhywbeth. 'Henffych, Brifardd,' medd un o ganeuon-cyfarch yr Eisteddfod. Y mae arnaf innau flys ychwanegu, 'Bravo, Congrinero!'

Moelni

Nid oedd ond llymder anial byd di-goed
O gylch fy ngeni yn Eryri draw,
Fel petai'r cewri wedi bod erioed
Yn hir lyfnhau'r llechweddau ar bob llaw;
A thros fy magu, drwy flynyddoedd syn
Bachgendod yn ein cartref uchel ni,
Ymwasgai henffurf y mynyddoedd hyn,
Nes mynd o'u moelni i mewn i'm hanfod i.
Ac os bydd peth o'm defnydd yn y byd
Ar ôl yn rhywle heb ddiflannu'n llwyr,
A'i gael gan gyfaill o gyffelyb fryd
Ar siawns wrth odre'r Wyddfa 'mrig yr hwyr,
Ni welir arno lun na chynllun chwaith,
Dim ond amlinell lom y moelni maith.

Llyn y Gadair

Ni wêl y teithiwr talog mono bron
Wrth edrych dros ei fasddwr ar y wlad.
Mae mwy o harddwch ym mynyddoedd hon
Nag mewn rhyw ddarn o lyn, heb ddim ond bad
Pysgotwr unig, sydd yn chwipio'r dŵr
A rhwyfo plwc yn awr ac yn y man,
Fel adyn ar gyfeiliorn, neu fel gŵr
Ar ddyfroedd hunlle'n methu cyrraedd glan.
Ond mae rhyw ddewin â dieflig hud
Yn gwneuthur gweld ei wyneb i mi'n nef,
Er nad oes dim gogoniant yn ei bryd,
Na godidowgrwydd ar ei lannau ef –
Dim byd ond mawnog a'i boncyffion brau,
Dau glogwyn, a dwy chwarel wedi cau.

Anwadalwch

Os bydd ymylon môr yn bygwth rhoi
Gefynnau cyfrwys am fy nhraed i'm dal,
Bydd rhan ohonof i yn wyllt am ffoi
O'r feiston isel i'r mynyddoedd tal;
Ac os bydd heulwen haf yn cynllwyn creu
Gwe o hudoliaeth melyn am fy mhen,
Bydd y rhan honno eilwaith yn dyheu
Am weld y gaeaf gyda'i fantell wen;
Nes troi pob aidd yn anwadalwch prudd
Wrth flysio mynd i fangre lle nid yw
Ac ysu bod ar adeg pan na bydd,
Gan rwygo fy serchiadau. Nid wy'n byw
Un amser nac yn unlle'n gyfan oll:
Mae darn o hyd ar grwydyr neu ar goll.

Dychwelyd

Ni all terfysgoedd daear byth gyffroi
Distawrwydd nef; ni sigla lleisiau'r llawr
Rymuster y tangefedd sydd yn toi
Diddim diarcholl yr ehangder mawr;
Ac ni all holl drybestod dyn a byd
Darfu'r tawelwch nac amharu dim
Ar dreigl a thro'r pellterau sydd o hyd
Yn gwneuthur gosteg â'u chwyrnellu chwim.
Ac am nad ydyw'n byw ar hyd y daith,
O gri ein geni hyd ein holaf gŵyn,
Yn ddim ond crych dros dro neu gysgod craith
Ar lyfnder esmwyth y mudandod mwyn,
Ni wnawn, wrth ffoi am byth o'n ffwdan ffôl,
Ond llithro i'r llonyddwch mawr yn ôl.

Atgno

Gresyn imi esgeuluso mor ddi-hid
Groncilo'r cyffroadau gynt a gawn
Ar hwyr a bore mewn perlewyg prid,
Ac ym myfyrdod moethus hir brynhawn,
Gan dybied y doent eilwaith yn eu tro
Ar wyliau coch eu calendr tua thref,
A dwyn hen gynyrfiadau er cyn co'
Yng ngwib y gwyntoedd o gilfachau'r nef;
Nes canfod, wrth im ddisgwyl mwy na mwy,
Pan dreiglo dydd a phan fo nos yn cau,
Nad oes ond unwaith prin i'w dyfod hwy,
Nad ydyw hoen eu haros yn parhau,
Ac na ddaw dim yn ôl o'r pedwar gwynt –
Dim ond rhyw frithgo' am ryw gyffro gynt.

Empire State Building

(New York)

Ar y grib anhygoel mae llawr y tŵr
Yn siglo gan daldra fel llong ar ddŵr.

Nid yw'r dynion sydd arno, mor bell o'r tir,
Ond ychydig is na'r angylion, yn wir.

Ond yno'n yr entrych mewn cawell rhad
Mae aderyn bach melyn sy'n uwch na'i stad.

Chicago

Yma y bu 'mrawd ar ôl mynd o dre,
Ond enw'n unig i ni oedd y lle.

Heddiw ymhen rhes blynyddoedd maith
Wele frawd iddo'n tario'n y fan ar ei daith, –

Myfi yn Chicago yn gymysg fy mryd,
Efô nid yw yma nac yn y byd.

Ond efallai i mi wrth roddi tro
Droedio rhyw fan lle bu'i gamre 'fo,

Ac felly asio rhyw ddolen hud
Oedd yn disgwyl i'w deupen ddyfod ynghyd.

Santa Fe

'R wy'n mynd yn rhywle, heb wybod ym mh'le,
Ond mae enw'n fy nghlustiau – Santa Fe,

A hwnnw'n dal i dapio o hyd
Y dagrau sydd gennyf i enwau'r byd, –

Yr enwau persain ar fan a lle:
'R wy'n wylo gan enw – Santa Fe.

Nebraska

Chwythed y peiriant y mwg o'i gorn
Dros y gwastadeddau indian-corn,

Gan leibio'r dwyrain i'w grombil tân,
A hollti'r pellterau ar wahân,

I mi gael cyrraedd rhyw dir lle mae
Rhywbeth i'w weld heblaw gwlad o gae.

Y Brain

Y mae brain yn y llwyn rhwng y dŵr a'r nef
Y tu draw i Lyn Cwellyn o'r ffordd i'r dref;

Hen adar castiog, cableddus, croch,
Wedi hel ar nos Sul at y Chwarel Goch;

Gan regi a rhwygo ym mrigau'r coed,
A thyngu mewn iaith na ddeallwyd erioed;

A thrystio fel cacwn mewn bysedd-cŵn,
Heb neb ond hwynt-hwy'n cystrawennu'r sŵn;

A ffraeo â'i gilydd gan ddweud y drefn
Fel cari-dyms yr ystrydoedd cefn; –

Ac eto'n borthiannus o bob rhyw sgram
A rad-roddwyd gan Dduw heb gysidro paham.

Y mae adnod yn honni bod Crist wedi dweud,
'Ystyriwch y brain', – a dyma fi'n gwneud.

Y Lili

Y mae lili'n y marddwr, nid nepell o'r sarn,
Ym mhen Llyn y Gadair wrth droed y Garn;

Lili'r dŵr, ac nid lili'r maes,
A'u coesau'n sownd mewn llysnafedd llaes;

Coesau anghynnes, droedfeddi o hyd,
Heb bwrpas cynhaliol yn y byd,

Ond bod fel cadwynau-angor llesg,
I gadw'r blodau rhag mynd i'r hesg,

Hen flodau lleicion, gludiog, di-sawr,
Yn pendympian ar wyneb y dyfnjwn mawr,

Yn ddiog ddiysbryd yng nghwr y llyn, –
A'r petalau, er hynny, yn syndod o wyn.

Mae'r Ysgrythur yn tystio i'r Iesu ddweud,
'Ystyriwch y lili', – ac wele wneud.

Y Rhufeiniaid

Y ffyliaid gwirion, oni wyddent hwy
Fod pen ar bopeth ar y ddaear hon,
Fod pob hen garreg rywdro'n torri'n ddwy,
Mai byr barhad sydd i bob newydd-sbon?
Hwynt-hwy'r hollwybodusion, meistri'r byd,
Tybed, mewn difrif calon, nad oedd gŵr
Ohonynt, a doethineb yn ei fryd,
A wyddai nad oedd dim oedd yn fwy siŵr.
Gwybod neu beidio, aethant ati'n ddoeth
I godi mur a chaer a phont a ffordd,
A chreu dinasoedd â chelfyddyd goeth,
Yn feddwon ar gywreinwaith cŷn a gordd,
Heb hidio gronyn nad oes dan y ne'
Ddim byd a bery'n hir ond man a lle.

Beddgelert

Mynd heibio ambell dro fel pe na bai
Dim byd a wnelwyf i â daear lawr,
A 'smalio credu nad yw gro a chlai
Ond rhan o sylwedd wrth y cread mawr.
Aros dro arall, ac anturio'n ewn,
Ond braidd yn brudd, at feddau'r fynwent fach,
A chrio, weithiau allan, weithiau i mewn,
A theimlo wedi hynny'n weddol iach.
Gwybod yn iawn, er hyn, na waeth i mi
Heb geisio cuddio'r cyflawn wir â thwyll
Gwyddoniaeth sech, ddifater, nac â chri
Ddagreuol meddal-deimlad dyn o'i bwyll,
Oherwydd y mae haenau'r clai a'r gro
Yn tynnu atynt fwy na mwy bob tro.

Oedfa'r Hwyr

Daethem i mewn i oedfa'r hwyr trwy'r glaw,
Ychydig bach ohonom, erbyn pryd,
Gan eistedd yn y capel yma a thraw,
Heb un sêt lawn i'w gweld trwy'r lle i gyd.
A sylwais, gan ei bod hi'n oedfa wan,
A rhywrai yno'n wlyb bron at y croen,
Fod un hen chwaer yn awr ac yn y man
Yn codi brigyn llwydlas at ei ffroen.
Yntau'r pregethwr, erbyn tua saith,
A lwyr ategai'r Salmydd gynt a'i gri
Gyntefig mewn cyfyngder lawer gwaith,
Wrth ddweud bod Duw yn noddfa a nerth i ni;
Ac i'r hen wraig yr oedd aroglau hael
Sbrig o hen-ŵr yn gymorth hawdd ei gael.

Carreg

Atodiad i Hanes Methodistiaeth Arfon

Yr oedd y cerrig fflat oedd yn y cefn gartref wedi eu codi gannoedd o weithiau gennym wrth chwilio am bryfed cyn mynd i bysgota. Ond yr oedd un garreg lechen go drom ger y drws ar y palmant brics yn cael llonydd yn hynny o beth. Go brin y buasai pryfed i'w cael rhwng llechen a bricsen; ac yr oedd y garreg lasgoch, lifiedig, hirsgwar, dew hon, er heb fod yn sownd nac ynglŷn wrth ddim, yn sefydlog ac yno at bwrpas arbennig. Yr oedd ysgraper haearn cadarn wedi ei guro iddi. Ar ôl dychwelyd o bysgota, felly, y sylwid arni hi, pan fyddai'n rhaid crafu mawn a llaid yr helfa o'r cilfachau hynny sydd rhwng sodlau a gwadnau esgidiau. Y llafn haearn hwn, yn hytrach na'r llechen gynhaliol, oedd rhan bwysig ac ymarferol y darn crefftwaith yma, ond fel carreg yr oedd hi'n bod i ni, er hynny.

Yr oedd y garreg hon wedi bod yno er cyn cof i mi, ac y mae'n ddiogel gennyf mai yn ein teulu ni yr oedd hi; yr oedd hi'n un ohonom, er mai o'r tu allan y safai trwy'r holl flynyddoedd. Yno y bu hi, yn ddodrefnyn allanol, hanner-addurnol, hanner-defnyddiol, a'r bont haearn lafnog yn ddiymod ar ei hwyneb. Cymerem hi'n ganiataol, fel y gwnaem â charreg yn y mur neu baen gwydr yn y ffenestr neu glicied y drws, – y pethau annwyl rhan-ohonom hynny oedd yn rhy serchog i ni feddwl ein bod yn ymserchu ynddynt. Nid oedd i'r pethau hyn gyfrinachau ond y rhai a roddem iddynt. Wrth roddi cyfrinachau felly y cysegrir llawer peth. Mi wn am gysegr-bethau fel hyn yma a thraw o gwmpas yr hen dŷ ac yn yr ardal, ond nid oes ganddynt ddim i'w fynegi ond a gyfrinachwyd iddynt. Nid oedd modd, gan hynny, fod gan yr hen garreg grafu wrth ddrws y cefn ddim cyfrinach o'i heiddo'i hun. Un o'r tylwyth oedd hi i ni'r plant, er ei bod ar lawr ac yn aml dan draed. Pan ddaeth y chwalfa ar y tŷ a'r teulu flynyddoedd yn ôl, aeth un ohonom â'r garreg i ffwrdd i'w gartref ei hun. Felly y mae'n dal yn un o'r tylwyth, er ei bod wedi newid ei lle.

* * *

Ond yr oedd carreg arall y gwyddai rhai ohonom amdani, carreg lechen fawr gron oedd yn uchel ar dalcen blaen y capel, carreg a chanddi ei chofnodion ei hun, beth bynnag am gyfrinachau. Gan nad oedd cowrt y capel yn eang iawn ac nad oedd le hwylus i gilio'n ôl i edrych ar y talcen, ychydig o neb a sylwai ar yr ysgrifen oedd arni, ac am hynny fe ofynnid cwestiynau yn ei chylch ambell dro mewn cystadleuaeth cyfarfod plant i geisio'n dal. Dyma sydd arni:

REMALIAH
ADEILADWYD 1825
HELAETHWYD 1853
AILADEILADWYD 1889
'Gwylia ar dy droed pan fyddech yn myned i dŷ Dduw.'

Enw dyn ar gapel. (Gweler II Bren. XV, 25, 27.)
Dywed y diweddar Barchedig William Hobley yn
ei Hanes Methodistiaeth Arfon, ar sail
adroddiadau gan wŷr lleol, i rywun roddi'r
llechfaen (oedd ar y capel cyntaf, y mae'n debyg)
'ar yr amod ei fod yn cael rhoi enw i'r capel.
Remaliah ydoedd yr enw a rowd, ond ni lynodd
wrth y lle'. Na, ni lynodd, ond wrth y garreg.
Dywed Hobley hefyd fod yr hen lechfaen oedd ar
yr adeilad cyntaf yn aros, ond ni wn i ym mha le y
mae, ac nis gwelais erioed. Fe helaethwyd y capel
yn y flwyddyn 1866 hefyd, meddir, er na ddywed
y garreg hynny.

Fel y dywed y cofnod, helaethwyd y capel
cyntaf yn y flwyddyn 1853. Y mae'n sicr, felly,
mai'r adeilad mwy hwn a welodd yr hen bererin
bachog George Borrow y nos Sul braf hwnnw yn
haf y flwyddyn 1854, pan oedd yn mynd heibio o
Gaernarfon i Feddgelert. Yr oedd y lleuad wedi
codi, medd ef, pan gyrhaeddodd Ryd-ddu. Y
mae'n amlwg fod oedfa'r hwyr wedi dechrau yn y
capel. Aeth yntau at y drws i wrando, a chlywai
ryw Fethodist yn crochlefain yn gryg, 'Pan afaelo'r

pechadur yn Nuw, fe afaela Duw yn y pechadur'. Ac ychwanega Borrow yn laconig a sardonig ddigon, 'I passed on'. Ond da y sylwodd Hobley, 'Pwy bynnag oedd y pregethwr cryglyd hwnnw, fe ddywedodd frawddeg a deithiodd y byd'.

* * *

Fel y dywedais, y mae'r garreg grafu honno wrth ddrws un o'r teulu heddiw, yn debyg i fel yr oedd gynt wrth ddrws cefn y cartref cysefin. Ni wn pa fodd y bu, pa un ai wrth chwilio am bryfed ai ynteu wrth dwtian a thacluso, ond yn ddiweddar, wrth ei chodi gerfydd y llafn haearn sydd arni, fe droes y garreg ar ei hochr, ac wele ddadlennu cofnod a fu ynghudd am flynyddoedd lawer. Ar yr wyneb isaf iddi y mae'n gerfiedig:

REMALIAH
ADEILADWYD 1825
HELAETHWYD 1853
'Gwylia ar dy droed pan eli i dŷ Dduw.'

Dyma ail garreg yr hen gapel, yn ddiau, a rhywun wedi cerfio'r adnod o'i gof heb falio am gywirdeb llythrennol y testun. Ac y mae'n sicr fod iddi ei chyfrinach hefyd yn ogystal â'i chofnod. Hon oedd y garreg a glywodd oddi fry sŵn troed Borrow yn picio at y capel o'r ffordd fawr, a'i weld yn clustfeinio ennyd wrth y drws, ac wedyn yn ffatian yn ôl i'r ffordd ac am Feddgelert. 'I passed on'.

A phwy oedd ar y bont, os-gwn-i? Yr oedd Borrow wedi gweld rhywun yno a gofyn iddo pa beth oedd enw'r pentref. Diamau i hwnnw sylwi ar y dieithryn lledieithog yn stelcian wrth ddrws y capel, ac iddo frysio dweud yr hanes wedyn. Uwchben, yng ngolau'r lloer, yr oedd y garreg hirsgwar yn sicr yn gweled a chlywed; ond y mae hi heddiw, fel y bu am flynyddoedd gartref, ar lawr wrth y drws, a'i hwyneb cerfiedig, cofnodol i waered, heb eto ddweud yr hanes wrth neb. Gresyn na bai'r cerrig yn llefaru.

Nefoedd

Mae nef, yn ôl y Pagan, lle mae grym
Deniadau cnawd a byd yn byth barhau,
Lle'r erys trachwant yn dragwyddol lym,
Heb ddim i'w ddal nac undyn i'w nacáu.
Yn ôl y Cristion, y mae nef lle trig
Cwmni'r eneidiau sanct yn gryno lawn,
I foli Duw uwchlaw pob gwaed a chig,
Byth bythoedd hwyr a bore a phrynhawn.
Ond tybed nad oes hefyd drydedd nef
Yn stôr i'r sawl sydd ar y ddaear hon
Ar gam, y truan nad oes iddo ef
Gymun â Salem nac â Babilon, –
Yr estron brith na all hyd ben ei daith
Ymhonni'n Bagan nac yn Gristion chwaith.

Sgawt

Ymhen can mlynedd, heb ddweud dim byd,
Mi godaf fy mhecyn o'm pabell glyd.

Yn ôl f'ewyllys (fel breuddwyd gwrach)
Mi sleifiaf o'r fynwent yn ddistaw bach.

Mi fyddaf yn ansad ar fy nhraed,
Ac ni bydd llawer o liw yn fy ngwaed.

Ni pharaf ddim arswyd: ni ddwedaf air
Wrth neb am fy ngorwedd o dan y gwair.

Llygadaf ar bopeth, yn fawr a mân,
A chlustfeiniaf ar bawb yn ddiwahân,

I wybod pa newid a fu'n y tir
Ac ar enaid dyn wedi'r cyfnod hir.

Ond yr wyf, rhaid cyfaddef, yn amau'n gry'
Mai tebyg iawn fydd a fydd i a fu,

Ac y bydd i mi wibio'n sgut, cyn fy nal,
Yn ôl i'm hen wely dros ben y wal.

Daw Ein Tro

Tynnodd ei bibell yn blwmp o'i geg
Ar y stryd fore Llun tuag un ar ddeg.

Diosgodd ei het yn yr awyr-iach.
(Yr oedd angladd yn pasio yn araf-bach, –

Hers, gyda'r arch a'i haddurn pres,
A nifer o geir yn ymlusgo'n rhes.)

A thoc fe holodd pwy, tybed, oedd ef
A haliwyd i Burdan, Uffern, neu Nef.

'Hwn-a-hwn, a fu farw nos Iau o strôc.'
'Ho.' . . . Gwisgodd ei het, ac ymlaen â'i smôc.

Haf

1942

Am fod gogwydd yn echel y Ddaear hon,
Hyd at bedair gradd ar hugain ymron,

Y mae cwrs y tymhorau o un i un
Yn dod yn ddiwrthdro, er gwaethaf dyn.

Ac nid yw'r tymhorau yn malio draen
Pa faint a wna dyn o stomp a staen.

Mae hi'n haf eto 'leni o Fôn i Went
Am fod echel y Ddaear hon ar slent.

Nant y Benglog

Henffordd â'i gwrym yn y golwg o hyd,
Ac yn tyfu croen o'i diarddel cyd;

Heiciwr mewn trywsys melfaréd
Yn magu gwar ar yr 'Holyhead';

Pwt o gapel gan Sentars y fro,
Ac ynddo sêt-fawr ar ryw hanner tro;

Gwraig mewn cwt yn tenantu heb rent,
Ac yn gweld ei gwyn ar ei stomp o stent;

Afon Llugwy'n llamsach yn lli,
Ac yn cludo'i chwysigod gyda hi; –
Dyna'r cyfan, am a wn i.

Dafydd ap Gwilym

Ni wyddom ni pa gynfardd o'r un waed
Â'r Dafydd hwn a rannodd iddo rin,
Na pha ryw seraff wrth ei grud a gaed
I osod y marworyn ar ei fin.
Ni wyddom chwaith pa famaeth gynt a roes
Ias y Gymraeg yn ei leferydd ef,
Na pha ryw athro barddas bore oes
A fu'n tymheru'r afiaith yn ei lef.
Gwyddom er hyn i'w gywydd-gerdd â dawn
Dewin o brydydd ganol-dyddio'n dân,
Heb argoel fod i'w hangerdd hi brynhawn
Na'r un diwedydd i glaearu'r gân.
Anterth oedd awr y gorwedd ger y mur
Chwe chanri'n ôl dan ywen Ystrad Fflur.

Awen

Cyn i'r hwrdd fynd heibio, mi fentraf ar gân neu ddwy
Eto, rhag ofn na ddaw blas ar ganu mwy.

Mae rhyw aflwydd byth a hefyd yn tarfu dyn,
A chyn eu geni yn tagu'r caneuon bob un,

A'r hyn a elwir yn Awen yn colli nodd,
Ac yn amlach na pheidio'n erthylu, gwaetha'r modd.

Rhaid dal ar y foment, oherwydd (Duw fo'n rhan!)
Nid oes wybod pa ryw gybolfa a fydd yn y man.

Felly af ati i ganu y funud hon,
I lacio tyndra'r caethiwed sydd yn fy mron.

Mae llawer testun yn galw – Clogwyn-y-gwin,
Llanfihangel-yng-Ngwynfa ac Ystrad-ffin;

Dic Aberdaron yntau a Jezebel;
Ffydd ac anobaith; croeso a dweud ffarwél.

Ni cheisiaf ymfflamychu na fflachio mellt . . .
Dyna alwad o rywle, a'r cyfan yn mynd i'r gwellt.

Hon

Beth yw'r ots gennyf i am Gymru? Damwain a hap
Yw fy mod yn ei libart yn byw. Nid yw hon ar fap

Yn ddim byd ond cilcyn o ddaear mewn cilfach gefn,
Ac yn dipyn o boendod i'r rhai sy'n credu mewn trefn.

A phwy sy'n trigo'n y fangre, dwedwch i mi.
Pwy ond gwehilion o boblach? Peidiwch, da chwi,

Â chlegar am uned a chenedl a gwlad o hyd:
Mae digon o'r rhain, heb Gymru, i'w cael yn y byd.

'R wyf wedi alaru ers talm ar glywed grŵn
Y Cymry, bondigrybwyll, yn cadw sŵn.

Mi af am dro, i osgoi eu lleferydd a'u llên,
Yn ôl i'm cynefin gynt, a'm dychymyg yn drên.

A dyma fi yno. Diolch am fod ar goll
Ymhell o gyffro geiriau'r eithafwyr oll.

Dyma'r Wyddfa a'i chriw; dyma lymder a moelni'r tir;
Dyma'r llyn a'r afon a'r clogwyn; ac, ar fy ngwir,

Dacw'r tŷ lle'm ganed. Ond wele, rhwng llawr a ne'
Mae lleisiau a drychiolaethau ar hyd y lle.

'R wy'n dechrau simsanu braidd; ac meddaf i chwi,
Mae rhyw ysictod fel petai'n dod drosof i;

Ac mi glywaf grafangau Cymru'n dirdynnu fy mron.
Duw a'm gwaredo, ni allaf ddianc rhag hon.

Dic Aberdaron

Yn oriel yr anfarwolion mae ambell glic,
Megis yr un lle ceir y Bardd Cocos a Dic –

Gwŷr o athrylith; ond gyda bodau o'r fath
Nid yw mesur eu llathen hwy yr un hyd â llath.

Y doethur Dic yw'r pennaeth a'r paragon:
Ef yw pen-ffwlcyn yr holl frawdoliaeth hon.

Ni chawsai chwarter o ysgol dan unrhyw sgŵl,
Ond meistrolodd ddirgelion y grefft o fod yn ffŵl –

Ffŵl gydag ieithoedd; ac ymollyngodd i'r gwaith
O leibio i'w gyfansoddiad iaith ar ôl iaith.

Yn dal o ddysg, fe herciai o le i le,
A'i honglaid o lyfrgell ynghlwm wrth ei gorpws e.

Gyda'i gathod fe dreiglai yn wysg ei drwyn ar dramp,
Ond 'r oedd golau un o'r Awenau i'w lwybrau'n lamp.

Yn Lerpwl, un tro, rhoes ei wisg a'i wynepryd sioc
I bublicanod a phechaduriaid y doc.

Ni wyddent hwy, mwy na phenaduriaid y dref,
Am ddibendrawdod ei ddawn a'i gollineb ef.

Parchwn ei goffadwriaeth, oll ac un.
Mawrygwn yr ieithmon a'r cathmon hwn o Lŷn.

Os ffolodd ar fodio geiriadur a mwytho cath,
Chware-teg i Dic – nid yw pawb yn gwirioni'r un fath.

Y Bilidowcars

Mae dau filidowcar i'w gweled draw ambell dro
Ar graig yn y dŵr rhwng y Pier a Phen-y-ro, –

Dau glamp o aderyn, a'u cefnau hwy'n sglefr i gyd,
Wedi dewis y smotyn hwn o leoedd y byd,

Gyferbyn â'r Trwyn Cwningen sydd ar y prom,
Fel deuddyn ar fainc y simne'n yr Hafod Lom,

Am stelc i athronyddu wrth dwtio'u plu,
A siawns i fyfyrio ar neges y môr a'i ru.

(Adar yn synfyfyrio! Wel, byth o'r fan,
Dyna farddoniaeth neu siarad fel hanner-pan.)

Nid yw'r weilgi i'r rhain (medd rhywun) ond man
                                        i gael bwyd:
Dowcio i ddal pysgod – hyn yw eu nod a'u nwyd.

Mi wyliais un tro o waelod Heol-y-wig:
Cwmnïo, cwnsela'r oeddynt big-ym-mhig,

Megis petaent yn casglu meddyliau'n ystôr
At lwyr-gyfundrefnu holl athrawiaethau'r môr.

Ond ffwlbri i gyd ydyw hynny, meddwch chwi;
Pa wrando a wna bilidowcars ar lais y lli?

Dyweder a fynner, mae'r eigion yn bownd o wneud
Pysgodwyr, athronwyr, neu feirdd. Pa un, pwy all ddweud?

'Yn Rhad yr Ymwerthasoch'

Peidiwn â strancio mwy, ond mwy gyda'r llu.
Pa raid sydd bellach i neb fod â'i ben yn ei blu?

Mae ponsio ag egwyddorion yn ennyn sgorn,
Nid oes odid neb yn hidio'r un botwm corn

Am ddelfryd nac argyhoeddiad na dim o'r fath;
Felly, hai ar ei hôl-hi, fel ci ar ôl cath.

Nid yw'n werth tynnu neb yn ein pen na damnio dim.
Bydd pawb wrth ei fodd yn ei byw-hi'n ôl ei chwim.

Efallai y'n temtir i nogio o dro i dro;
Ond beth fydd yr iws? Rhown ein ffidlau oll yn y to.

Ni bydd angen ymboeni dim am nac eilun na chrair,
Na galaru chwaith am y tethau (Eseia biau'r gair).

Fe fydd rhai ohonom, hwyrach, wrth sugno'r deth,
Weithiau'n rhyw las-ofidio bod ambell beth

Fel yr iaith dan gabl a sen gan bagan a sant,
A phlant y tadau'n ei herlid o bentan i bant.

Rhoddwn y gorau iddi, ac ymwacáwn,
Megis y gwnaethom gydag Athrawiaeth yr Iawn.

Fe ddôi pwl o chwithdod o feddwl ei bod ar y clwt,
Ac yn yr heth yn ymddatod bob yn bwt.

Ond pe bai rhyw chwiw yn dod drosom, a phe baem
Yn ymroi i achlesu hon, pa gredyd a gaem?

Mynnwn y byd a'i bethau, ei barch a'i bwrs,
A gadael i bopeth arall gymryd ei gwrs.

Ond pan fyddwn, ys dwed yr ymadrodd, yn pluo'r nyth,
Gofalwn am egwyl i gwafrio 'Cymru am byth'.

Bardd

(T. Gwynn Jones)

Canodd ei gerdd i gyfeiliant berw ei waed;
Canodd hi, a safodd gwlad ar ei thraed.

Canodd ei gân yn gyfalaw i derfysg Dyn;
Canodd hi, ac nid yw ein llên yr un.

Colli Robert Williams Parry

Dyna fo wedi mynd ar ôl hir lesgedd; yn wir yr oeddem wedi ei 'golli' ers rhai blynyddoedd. Pan welais ef olaf beth amser yn ôl, yr oedd yno, ond heb fod gyda ni. Yr ydys yn gobeithio er mwyn Cymru, fod Cymru'n sylweddoli fod rhywun a rhywbeth eithriadol wedi ymadael.

Fe gollwyd bellach o'n plith ryw drysor anchwiliadwy, rhyw hanfod elfennaidd nad yw'n trigo yn un o feibion dynion ond unwaith bob cwrs hir iawn o flynyddoedd – os yn wir y digwydd fwy nag unwaith yn hollol yr un fath. Nid elfen neu hanfod sy'n perthyn i ddynolryw ydyw, ac ni allwyd erioed esbonio'r peth yn iawn. Y mae megis rhyw ddoethineb ddwyfol neu ddewiniol sy'n disgyn yn ddiferion prin i enaid ambell un yn awr ac yn y man, a Duw'n unig a ŵyr pwy fydd yr ambell un ffodus – neu anffodus. Yn hollol annisgwyliadwy fe ddaeth hyn i ran Robert Williams Parry. Ac er pan oeddem yn hogiau ffôl yn prancio gyda beisiclau gynt, mi welais y peth yn ymddangos ynddo o dro i dro, yn ystod y blynyddoedd, ac yn gymysg â rhyw blentynrwydd anaeddfed bob amser bron.

Po fwyaf fyddai'r hogyneiddiwch, dwysaf oll fyddai'r ymwybod â'r dirgelwch mawr a'r rhyfeddod mwy a oedd iddo ef mewn dyn a'i dynged ac mewn byd a bywyd. Fe ddadlennodd ef ei hun beth o hyn fwy nag unwaith, gan ddatguddio'r ffaith fod yn enaid ambell lanc dipiadau a chynyrfiadau na ddychmygir gan neb eu bod yno. Dweud yr oedd ef nad yr un yw'r bachgen sy'n cicio tùn yn iard yr ysgol â'r un bachgen pan fo'n effro yn ei wely ganol nos.

Oherwydd ei fod ef ei hun, o'r safbwynt hwn, yn un o wŷr prin y ddynoliaeth, a hefyd am iddo drwy ryw wyrth arall ddysgu parablu hen iaith y prinder hwnnw, yr oedd yn lladmerydd i'w gyd-ddynion. Yn fyr, fe roes, fel pob un o'r tylwyth hwn a aned 'o'r hen anachubol, annynol wrach', lafar ac ymadrodd i ni; fe fynegodd yr anfynegadwy, a hynny mewn iaith a thinc lencynnaidd iddi, yr un lleferydd syml a syfrdanol ond digamocs ag sydd wedi bod yn 'sobreiddio'r iach' ar hyd yr oesau.

Ond i ba beth yr wyf yn cyboli fel hyn? Y mae pawb a ŵyr yn gwybod. A dyma ni wedi colli'r gŵr y gwelodd y Crëwr yn dda wneuthur llestr arbennig ohono. Mi gefais i'r fraint o fod yn perthyn iddo ac o fod yn gyfaill iddo. Mi gefais ganddo lawer o gyfrinachau ei enaid; mi glywais ganddo am ei ofnau a'i gryndodau, ei obeithion a'i siomedigaethau, a'i weledigaethau hefyd.

Yn fwy na dim, efallai mi gefais fod yn blentyn a hogyn gwirion yn ei gwmni, a ninnau'n dau wedi tyfu'n wŷr cyfrifol ers blynyddoedd maith. Yr oedd ein jôcs, druain, y pethau mwyaf plentynnaidd dan haul, a'r sgwrs yn siampl o ddiniweidrwydd. Ond yn sydyn ac anochel, o ganol y gwiriondeb, fe ddeuai'r munudau annaearol. Wedi hynny, fe fyddai'n dda gennym ein dau gael mynd yn ôl rywsut at y babaneiddiwch saff, fel pe bai arnom ofn rhywbeth.

Y diniweidrwydd hwn ydoedd elfen hoffusaf ei bersonoliaeth, ac yr oedd yn heintus. Yn gymysg â hyn yr oedd hefyd ychydig o rywbeth y gellid ei alw'n gyfrwystra bachgennaidd yn ei natur. Ni byddai dim gwell ganddo na'ch 'dal' a chael hwyl am eich pen. Ac un peth arall – fe fyddem yn hoff iawn o fynd dros yr un pethau bob tro y cyfarfyddem, adrodd yr un hen hanesion, dweud yr un hen ffraethebau, a thynnu'r un hen goesau. A rhwng dau gyfaill nid oedd dim iachach na hynny. Ni byddem byth yn blino traethu'r hen draethiadau. Fe fyddem yn dadlau'n ffug-ffyrnig ambell dro, ac, wedi bod wrthi'n hir, yn darganfod ein bod o'r un farn yn hollol o'r cychwyn.

Ar gorn y nodweddion hyn, a'i ddewiniaeth, fe aeth ei enw'n chwedl. Fe dyfodd mabinogi o'i gylch, er mai ar lafar yn unig y mae hyd yn hyn. Beth bynnag, fe barodd ei enciliad cynnar i rai synio amdano fel rhyw fath o rith; ac yr oedd hynny'n ddigon naturiol, ar ryw olwg. Yn wir, rhith ydoedd bellach.

Ac wrth sylweddoli hynny, y mae'n anodd credu fy mod yn cofio amdano flynyddoedd lawer yn ôl yn ymweld â ni gartref o dro i dro, yn llanc nwyfus a direidus, yn canu penillion gan gyfeilio iddo'i hun ar y piano, yn 'enaid' y cwmni wrth y bwrdd bwyd, yn gwneud campau acrobatig ar ei feic. Yr oeddwn innau'n gallu cymryd rhan a chyfran gydag ef ym mhopeth, er fy mod yn iau nag ef. Ond un tro mi deimlais fy mychander yn aruthr; mi glywn y llanc yn trafod cynganeddion gyda'm tad, a minnau heb fod yn gwybod beth ydoedd cynganeddu, hyd yn oed. Nid oeddwn i'n perthyn i'r cwmni o ddau y tro hwnnw.

Ond, mewn difrif calon, a oes rhywun a all esbonio pam yr oedd y llanc hwnnw, yr olaf ar wyneb y ddaear i ymdroi â phethau felly, yn dechrau ymddiddori ac ymarfer â'r gynghanedd? Sut bynnag, mi sorrais i ynof fy hun gryn dipyn pan sylweddolais fod ganddo ef a'm tad rywbeth na allwn i fod yn gyfrannog ohono. Mi ddywedais y stori hon wrtho lawer gwaith, ac fe fyddai wrth ei fodd yn ei chlywed, i gael tipyn o hwyl am fy mhen i.

Wrth ddwyn ar gof ddyddiau ei fachgendod, teg yw nodi ei fod ef, er yn fywiog a phranciol, yn hynod o deidi a destlus bob amser. Ac felly y parhaodd, o ran ei wisg a'i wedd yn ogystal ag o ran ei waith. Fe ddywedodd rhywun mai'r Hollalluog sy'n rhoi'r tamaid cyntaf o gân i ddyn, a bod yn rhaid i'r dyn ei hun ofalu am y gweddill. Ac os bu gofalu erioed, fe ofalodd hwn, fel y mae'n ddigon hysbys, gan ymboeni'n boenus bron â'i gelfyddyd – hyd at nerfusrwydd, yn wir.

Fe welodd rhai ohonoch hwn, efallai, yn troedio'n wisgi a phwrpasol, a sbectol ar ei drwyn, wedi ymwisgo'n drwsiadus fel pin mewn papur, a phob blewyn yn ei le, ac fe'i clywsoch, o bosibl, yn cyfnewid cyfarch bach digon cyffredin â rhyw fforddolyn arall. Pwy a fuasai'n meddwl ei fod, ar ambell eiliad goruwchnaturiol, yn un o weledyddion prin y canrifoedd?

Cyngor

Cei roi dy swllt i unrhyw sect neu blaid
Sy'n dal y dylai Cymru fod yn un.
Cei drafod fel ysgolor, os bydd rhaid,
Hanes a llên a chân dy wlad dy hun.
Os byddi yn y cysegr yn cael blas
Ar foliant yn Gymraeg, pob hwyl i ti;
Ni wnei ddim drwg i neb â moddion gras,
Na dim o'i le â siant neu litani.
Ond rhag i bethau fyned yn draed-moch
Wrth drin hanfodion cenedl yn dy blwy',
Gofala di na chodi di dy gloch
Ac enwi'r iaith yn un ohonynt hwy.
Cei ganmol hon fel canmol jŵg ar seld;
Ond gwna hi'n hanfod – ac fe gei di weld.

Jezebel

i

Lilith oedd mam ei llin. Ymróes ei duw
A'r dwyrain i'w thecáu. 'R oedd cochni'r fall
Yn farwor ar ei min, a mellt y nos
O'i llygaid yn ymwáu. Hon ydoedd brig
Brenhinllys Sidon draw. Teyrn oedd ei thad,
A'i phriod yntau'n deyrn. Yr oedd ei holl
Osgo'n brawychu braw, fel y bydd dur
Yn darnio barrau heyrn. Nid ydoedd dyn
Na diafol na gŵr Duw ond megis dim
O flaen dialedd hon. Ni faliai'r ferch
Ddraenen am ddynol-ryw. Nid oedd na gras
Na gresyn yn ei bron. Felly y gwnaeth
Ei phryd a'i ffrost hi'n ben-arglwyddes, fel
Nad rhaid oedd dwedyd 'Dyma Jezebel'.

ii

Â cholur ar ei gwedd, eisteddai hi
Ar fainc y ffenestr fry, a gwychder gwisg
Ei phen yn beiddio bedd. Wedi i sain
Ei sen syfrdanu'r llu, fe hyrddiwyd hon
Yn swp i'r stryd islaw, nes bod ei gwaed
Dan garnau'r meirch yn staen, a drylliwyd hi'n
Gyrbibion yn y baw. Yna, heb droi,
Aeth Jehu yn ei flaen. Ond wedi'r wledd
Daeth dros ei galon ias tosturi gŵr.
'Cyfodwch,' oedd ei gri, 'cleddwch hi'n awr,

A chofiwch am ei thras. Ewch, canys merch
I frenin ydoedd hi.' . . . Nid oedd ar ôl
Ohoni ond ychydig ddarnau, fel
Na ellid dwedyd 'Dyma Jezebel'.

Bro

Fe ddaw crawc y gigfran o glogwyn y Pendist Mawr
Ar lepen yr Wyddfa pan gwffiwyf ag Angau Gawr.

Fe ddaw cri o Nant y Betws a Drws-y-coed
Ac o Bont Cae'r-gors pan gyhoeddir canlyniad yr oed.

Fe ddaw craith ar wyneb Llyn Cwellyn, ac ar Lyn
Y Gadair hefyd daw crych na bu yno cyn hyn.

Fe ddaw crac i dalcen Tŷ'r Ysgol ar fin y lôn
Pan grybwyllir y newydd yng nghlust y teliffôn.

Fe ddaw cric i gyhyrau Eryri, ac i li
Afon Gwyrfai daw cramp fy marwolaeth i.

Nid creu balchderau mo hyn gan un-o'i-go', –
Mae darnau ohonof ar wasgar hyd y fro.

Llyfryddiaeth

Cymerwyd y detholiadau o waith T.H. Parry-Williams o'r llyfrau canlynol:

Awdlau Cadeiriol Detholedig y Ganrif Hon 1900-1925:
(Cymdeithas yr Eisteddfod Genedlaethol, d.d.)

Ysgrifau (1928)

Cerddi (1931 arg. 1954)

Synfyfyrion (1937)

Lloffion (1942 arg. 1947)

O'r Pedwar Gwynt (1944 arg. 1946)

Ugain o Gerddi (1949 arg. 1963)

Myfyrdodau (1957)